O DOTE

ARTUR AZEVEDO

1ª EDIÇÃO - 20
RIO DE JANEIRO

Copyright © 2019 Editora Vermelho Marinho

Editor-chefe:
Tomaz Adour

Revisão:
Equipe Vermelho Marinho

Projeto Gráfico:
Editora Estronho (Marcelo Amado)

Arabesco da arte da capa e miolo:
Garry Killian

Texto revisado e atualizado conforme definições do novo Acordo Ortográfico da Língua Portuguesa de 2009.

Azevedo, Artur
Dote, O / Artur Azevedo
Rio de Janeiro: Vermelho Marinho, 2019.
70 p. 14 x 21cm
ISBN: 978-85-8265-146-9
1. Literatura Brasileira. 2. Teatro. 3. Título.
CDD B869.2

EDITORA VERMELHO MARINHO USINA DE LETRAS LTDA
Rio de Janeiro — Departamento Editorial:
Avenida Gilka Machado, 315 — bloco 2 — casa 6
Recreio dos Bandeirantes — Rio de Janeiro — RJ
CEP: 22795-570

www.editoravermelhomarinho.com.br

VERMELHO MARINHO

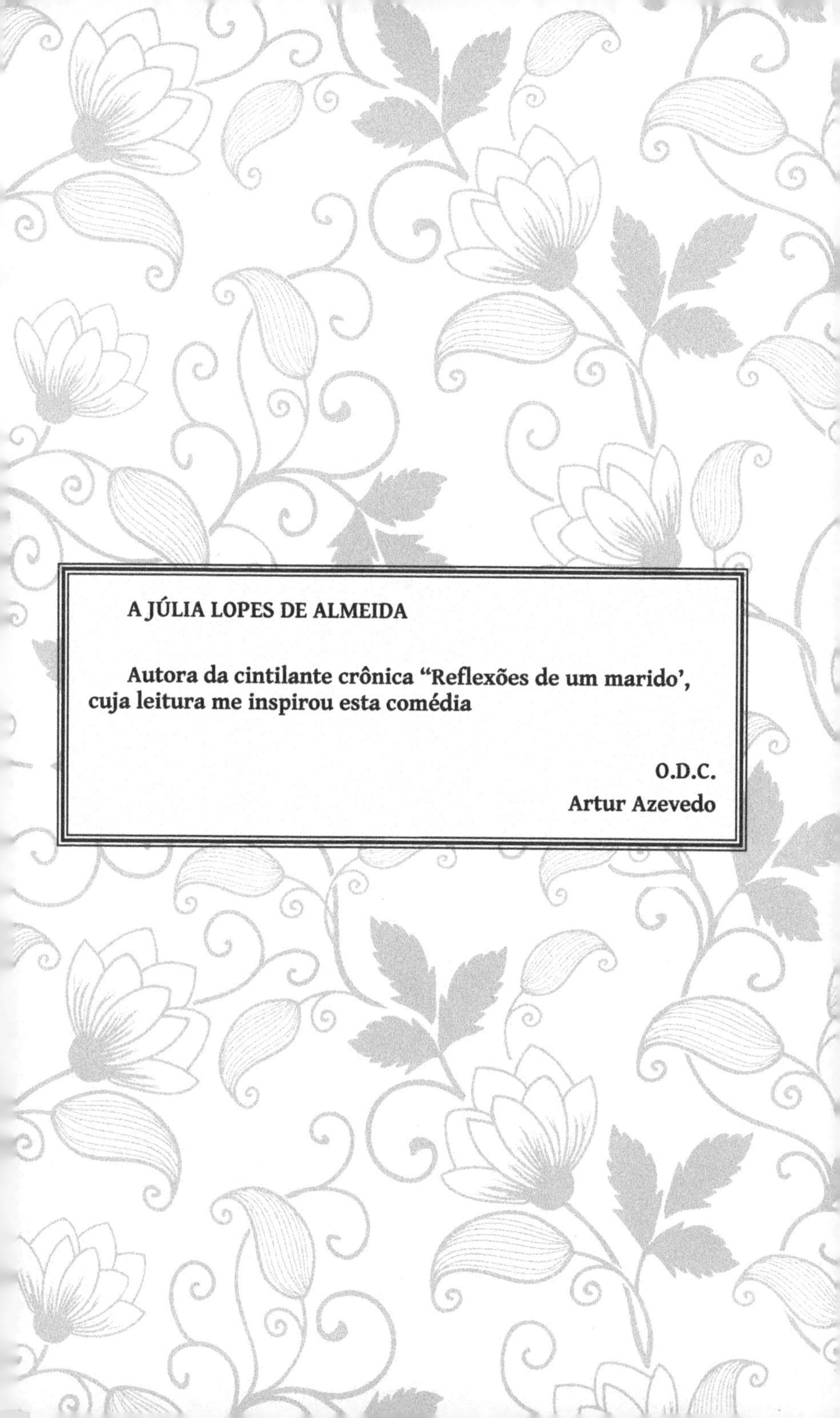

A JÚLIA LOPES DE ALMEIDA

Autora da cintilante crônica "Reflexões de um marido',
cuja leitura me inspirou esta comédia

O.D.C.
Artur Azevedo

O DOTE

Personagens Atores

HENRIQUETA Dona Lucília Peres

ISABEL Dona Helena Cavalier

ÂNGELO Senhor Antônio Ramos

RODRIGO Senhor Francisco Marzulo

LUDGERO Senhor Alfredo Silva

PAI JOÃO Senhor Claudino de Oliveira

LISBOA Senhor Dias Braga

ESPOSENDE Senhor Domingos Braga

Rio de Janeiro. Atualidade.

ENSAIADOR Senhor Ernesto Portulez

CENÓGRAFO Senhor Crispim do Amaral

ATO PRIMEIRO

Gabinete de trabalho de Ângelo, estantes com livros, secretária atapetada de papéis, porta ao fundo, porta à direita, é dia.

CENA I
ÂNGELO, *depois* PAI JOÃO

(Ângelo trabalha sentado à secretária. Depois de alguns momentos, Pai João, preto-mina nonagenário, entra pelo fundo.)

PAI JOÃO — Sió moço doutlô!

ÂNGELO *(Sem levantar os olhos do trabalho.)* — Que é, Pai João?

PAI JOÃO — Tá aí zoalelo da rua d'Ouvidlô.

ÂNGELO — O joalheiro? Eram favas contadas! Manda-o entrar.

PAI JOÃO *(Indo ao fundo e falando para fora.)* — Faze favló. *(Entra Esposende, Pai João sai.)*

CENA II
ÂNGELO, ESPOSENDE

ESPOSENDE — Senhor doutor...

ÂNGELO — Boa-tarde, senhor Esposende. Queira sentar-se. *(Indica-lhe uma cadeira, perto da secretária.)*

ESPOSENDE — Estou bem, doutor.

ÂNGELO — Obriga-me a levantar-me. Sente-se. Aí tem cadeira.

ESPOSENDE — Obrigado. *(Senta-se.)*

ÂNGELO — Já sei o que o traz. Minha mulher esteve no seu estabelecimento, escolheu uma joia, e mandou a conta para que eu a pagasse.

ESPOSENDE — Como das outras vezes. O doutor desculpará tanta prontidão na cobrança, mas foi sua senhora mesmo quem insistiu para que eu viesse já, que o encontraria em casa. Aqui está um bilhetinho dela. *(Dá um papel a Ângelo.)*

ÂNGELO *(Lendo)* — "Ângelo. — Paga esse anel — Tua, Henriqueta". É uma ordem à vista.

ESPOSENDE — E não pode ser mais lacônica.

ÂNGELO — E o anel?

ESPOSENDE — Está com ela. O que trago é a nota com o recibo.

ÂNGELO — Dê cá. *(Lendo a conta e erguendo-se de um salto.)* Três contos de reis!...

ESPOSENDE — Ah! Meu senhor, é um diamantinho da mais pura água! Era a joia das minhas joias!

ÂNGELO — Não duvido, mas... três contos!...

ESPOSENDE — Três contos, que continuarão a ser dinheiro em caixa. Em joias ninguém se arruína. Quando são boas, não perdem o valor. Quer saber? Anteontem vi exposta na Hortulânia uma parasita com o preço marcado: seiscentos mil réis. Ontem já lá não estava. Perguntei se a tinham vendido. Dez que fossem! Imagine agora que sua senhora, em vez de gostar de joias, gostava de parasitas...

ÂNGELO *(Que durante a fala de Esposende foi a um móvel buscar um caderno de cheques do Banco, e se sentou de novo à secretária.)* — Isso é verdade.

ESPOSENDE — "Ângelo. Paga essa parasita. Tua, Henriqueta". Era um pouco mais caro. *(Vendo que Ângelo se dispõe a encher um cheque.)* É um cheque? Escreva apenas dois contos oitocentos e cinquenta mil reis.

ÂNGELO — Pois não são três contos?

ESPOSENDE — São; mas adotei agora o sistema de dar aos maridos, particularmente, cinco por cento sobre todas as compras feitas pelas senhoras.

ÂNGELO — Quanta generosidade!

ESPOSENDE — Generosidade, não: filosofia. Também eu já fui casado; sei o valor que as senhoras dão ao dinheiro, e a facilidade com que o gastam.

ÂNGELO — Pagou também muita joia?

ESPOSENDE — Paguei sim, senhor; e foi por isso que me fiz joalheiro. Este abatimento é...

ÂNGELO — Uma espécie de ficha de consolação.

ESPOSENDE — Isso!

ÂNGELO *(Erguendo-se e entregando o cheque.)* — Obrigado pela comissão do marido.

ESPOSENDE — Não há de quê. *(Estendendo-lhe a mão.)* Dá-me licença?

ÂNGELO — Passar bem, senhor Esposende.

ESPOSENDE — Sempre às suas ordens. Lá estamos. *(Sai.)*

CENA III
ÂNGELO, PAI JOÃO, *depois* RODRIGO

(Cena muda em que Ângelo indica o desgosto que lhe causou aquela despesa inútil. Contempla o caderno de cheques, abanando a cabeça, e depois vai guardá-lo no móvel de onde o tirou. Senta-se à secretária, e dispõe-se a trabalhar, mas vê a conta deixada pelo joalheiro e examina-a de novo; depois atira-a sobre a secretária e fica pensativo, apoiando a cabeça na mão. Entra Pai João muito contente.)

PAI JOÃO — Siô moço doutlô! *(Ângelo não ouve.)* Siô moço doutlô!

ÂNGELO *(Como que despertando.)* — Hein?

PAI JOÃO — Tava dlomindo?

ÂNGELO — Não; estava pensando.

PAI JOÃO — Divina quem tá aí!

ÂNGELO — Quem é?

PAI JOÃO — Síô doutlô Lodligo!

ÂNGELO *(Erguendo-se de um salto.)* — Rodrigo!...

PAI JOÃO *(Falando para fora.)* — Entla, siô doutlô! *(Entra Rodrigo. Vestuário claro de viagem.)*

RODRIGO — Onde está o grande homem? *(Vendo Ângelo.)* Ah! *(Atiram-se nos braços um do outro com efusão.)*

ÂNGELO — Eu só contava contigo daqui a um mês.

RODRIGO — Antecipei a minha viagem por causa do frio. Vi cair tanta neve, que tive a nostalgia do sol! Não te mandei dizer nada, para causar-te uma surpresa.

ÂNGELO — Fizeste mal. Eu e minha mulher teríamos prazer em ir buscar-te a bordo.

RODRIGO — Com uma banda de música? Ela, como vai?

ÂNGELO — Minha mulher? Perfeitamente!

RODRIGO — E o bebê? Vem por aí?

ÂNGELO — Nem sinal!

RODRIGO — Isso é que é mau.

ÂNGELO — Mas como estás bem disposto! Remoçaste, sabes?

RODRIGO — Ah! Meu amigo, não há como viajar! — E tu? Tens gozado sempre saúde?

ÂNGELO — Graças a Deus.

RODRIGO *(Batendo afetuosamente no ombro de Pai João.)* — E o nosso Pai João, a relíquia de família?... Sempre forte, hein?

PAI JOÃO — Flote, non, síô doutlô... mase vai se vivendo.

ÂNGELO — Não há mal que lhe entre!

RODRIGO — Que idade tem vossemecê, Pai João?

PAI JOÃO — Non sabe, non siô... mase Pai Zoão é munto velo... munto velo...

RODRIGO — Vossemecê viu enforcar Tiradentes?

ÂNGELO — Não; mas se fazes questão de um fato histórico, fica sabendo que aí onde o vês, assistiu à partida de Pedro I depois do Sete de Abril.

RODRIGO — Deveras?

PAI JOÃO — Si siô... na plaia de Santa Luzia... Pai Zoão ela moleque assim... *(Indica o tamanho.)* Quando navio passou, plaia tava assim de zente... flutaleza dava tiro... povo turo çolava, pluque tinha pena do impeladlô... Eh! eh! Pai Zoão tá munto velo... tá munto velo... *(Sai.)*

CENA IV
ÂNGELO, RODRIGO

RODRIGO — Ora, Pedro I partiu...

ÂNGELO — Em 1831.

RODRIGO — Pai João deve ter noventa anos.

ÂNGELO — Pelo menos.

RODRIGO — Isto é que é viver!

ÂNGELO — O amor não envelhece. Ele em toda a sua vida não tem feito outra coisa senão amar. Chegou àquela idade e não admite que o senhor moço doutor tenha outro criado senão ele. Se eu o aposentasse, matá-lo-ia.

RODRIGO — Coitado! É teu amigo... viu-te nascer...

ÂNGELO — Viu nascer minha mãe. *(Outro tom.)* Mas tratemos de ti... Apreciaste muita coisa boa por esse velho mundo, hein?

RODRIGO — Sim, apreciei muita coisa boa durante estes dois anos, mas passei a maior parte do tempo nas escolas e nos hospitais... A medicina continua a ser a minha paixão dominante e o meu desespero.

ÂNGELO — Ora o teu desespero por quê?

RODRIGO — Porque seria preciso viver tanto como Pai João e ser um gênio para saber tudo! — Mas onde está tua mulher? Estou morto por vê-la!

ÂNGELO — Saiu. O pai e a mãe vieram buscá-la e andam a saracotear na rua do Ouvidor e na Avenida.

RODRIGO — És feliz?

ÂNGELO — Adoro minha mulher.

RODRIGO — Não é isso que pergunto. Pergunto se és feliz.

ÂNGELO — Naturalmente... Pois se a adoro! Não poderia adorá-la se não fosse feliz... nem poderia ser feliz se não a adorasse...

RODRIGO — Essa resposta é de quem não é feliz.

ÂNGELO — Já vejo que voltaste o mesmo homem.

RODRIGO — Tu conheces as minhas ideias a respeito do casamento. Marido e mulher só podem ser absolutamente felizes quando se identificam um com o outro a ponto de se confundirem numa só individualidade. O casamento só é venturoso quando a mulher possa repetir ao marido e o marido à mulher o famoso verso do padre Caldas: "Eu e tu somos só eu."

ÂNGELO — Isso é muito raro.

RODRIGO — Tão raro como os casamentos felizes. Olha, se eu estivesse presente, não te casarias com tanta facilidade. Mas tu aproveitaste a minha viagem... fizeste como as crianças travessas quando pilham os pais descuidados. Torço as orelhas por não te haver levado comigo!

ÂNGELO — Quem te ouvisse falar, não sei o que poderia supor.

RODRIGO — Nalgumas das cartas que me escreveste, pareceu-me entrever uns começos de arrependimento...

ÂNGELO — Oh!

RODRIGO — Desculpa-me esta franqueza brutal, mas eu sou teu amigo desde que eras pequeno, e tua mãe — tua santa mãe — considerava-me teu irmão mais velho. *(Pausa.)* Tu não és feliz, tua mulher tem defeitos.

ÂNGELO — Não, não tem defeitos... tem um defeito, um defeito só, um defeito de educação... aliás corrigível.

RODRIGO — Mas que não tens podido corrigir.

ÂNGELO — Porque sou fraco... Nas tuas mãos ela seria uma mulher perfeita.

RODRIGO — Já sei... a menina é ciumenta...

ÂNGELO — Não... isto é... não é mais nem menos ciumenta que em geral as moças brasileiras... Ciúmes tolos... fantasias...

RODRIGO — Vamos lá! Tu... em solteiro...

ÂNGELO — Em solteiro; depois de casado... Homem, já te disse que adoro minha mulher!

RODRIGO — Mas vamos! Qual é seu defeito?

ÂNGELO — É perdulária! ... Deita o dinheiro aos punhados pela janela fora!...

RODRIGO — Bonito!

ÂNGELO — Quando a vi pela primeira vez, numa corrida no Derby...

RODRIGO — Escusas de contar-me a história dos teus amores: estou farto de sabê-la pelas tuas cartas. É, *mutatis mutandis*, a história de todos os casamentos. Dois olhares, dois sorrisos, duas cartas, dois beijos, e acabou-se. — Quem é aquela mulher? Não sei, não quero saber; só sei que é bonita, que a amo, e que não poderei possuí-la sem a levar ao pretor e ao padre. Mas sabes tu ao menos que família é a sua? Que educação recebeu? Qual foi seu passado de virgem? — Oh! Oh! As virgens só têm passado quando deixam de o ser! — Vamos, dize-me: que espécie de gente são os teus sogros?

ÂNGELO — O pai é meu colega.

RODRIGO — Teu colega?

ÂNGELO — É como toda a gente, um bacharel formado.

RODRIGO — Cita o autor.

ÂNGELO — Guerra Junqueiro.

RODRIGO — Adiante. Ele advoga?

ÂNGELO — Não. Vive de alguns vinténs que herdou do pai. Tem uma fazenda no Estado do Rio. É de uma ignorância, ou antes, de uma parvoice fenomenal. Quer que o suponham rico, e aparenta grandezas que não tem nem pode ter. A mãe é uma senhora inteligente e sensata, mas a sua inteligência e o seu bom senso capitulam invariavelmente diante das opiniões do marido. Por isso vivem como Deus e os anjos.

RODRIGO — Eu e tu somos só eu; ele é tolo, ela é pusilânime: são felizes.

ÂNGELO — Henriqueta é filha única. Foi educada como filha de milionários. Viu desde pequenina satisfeitos os seus caprichos ainda os mais extravagantes, e habituou-se a isso. Trouxe de dote cinquenta contos que, reunidos ao que me restava da herança de minha mãe e às minhas economias, perfizeram mais de duzentos contos. Quase metade desse capital foi todo absorvido pela compra desta casa, mobília, alfaias, objetos de arte, etc., tudo exigências dela. Da outra metade, já pouco, muito pouco me resta. Um verão em Petrópolis, uma assinatura no Lírico, um cupê, uma caleça, duas parelhas de cavalos, muitas joias, alguns jantares, bailes, toaletes, etc... Parece que não é nada... tem sido um sorvedouro de dinheiro.

RODRIGO — O diabo foi ela trazer-te os tais cinquenta contos.

ÂNGELO — Foi o diabo, foi! Todas as vezes que tento reagir contra os seus desperdícios, ela atira-me à cara o seu dote! Ora, o seu dote! Onde vai seu dote! E não é só ela: é também o pai! É o dote de Henriqueta pra cá, o dote de Henriqueta pra lá! De modo, meu amigo, que estou completamente atado pelo diabo desse dote! — Minha mulher não sai à rua que não gaste muito dinheiro! Compra joias... joias inúteis... Olha... ainda hoje... *(Mostrando-lhe a conta que ficou sobre a secretária.)* Um anel de três contos de réis!... E talvez não fique nisto! ...*(Entra Pai João, trazendo uma caixa de chapéu e uma conta.)*

CENA V
OS MESMOS, PAI JOÃO

PAI JOÃO — Tá qui sinhá Henliqueta mandou, pia sió moço doutlô pagá.

ÂNGELO — Que digo eu? *(Vendo a conta.)* Um chapéu modelo, cento e cinquenta mil réis. Justamente a comissão do marido.

RODRIGO — Que comissão?

ÂNGELO — É cá uma coisa! *(A Pai João.)* Deixa ficar a caixa aí sobre a secretária, e toma... *(Dando-lhe dinheiro.)* Dá estes cento e cinquenta mil réis ao portador.

JOÃO—Si, siô. *(Sai.)*

CENA VI
ÂNGELO, RODRIGO

ÂNGELO — Com este é, talvez, o décimo chapéu que ela compra este ano.

RODRIGO — Tem graça. Eu trouxe-lhe também um, de Paris. Tenho nas malas muitos presentes para ti e tua mulher.

ÂNGELO — E nada me dizes sobre o que acabo de expor?

RODRIGO — Digo-te, sim... lá chegaremos... tenho muito, muito que te dizer. Antes de mais nada, deixe que eu admire não tenhas exposto a tua mulher a situação com tanta sinceridade e clareza como acabas de o fazer a um amigo.

ÂNGELO — Ela está persuadida de que somos ricos. A verdade causar-lhe-ia um desgosto profundo, e não quero desgostá-la, porque, como já te disse, adoro-a... Adoro-a, e fica sabendo, Rodrigo, à parte esse defeito de ser gastadora, não lhe conheço outro... É a mais meiga, a mais carinhosa, a mais amante das esposas. Mas que queres? Todas as vezes que lhe falo em economias, desata a rir! Ri como se lhe eu houvesse dito uma pilhéria... de resto, ela ri de tudo... passa a vida a rir.., e o seu riso é comunicativo e sonoro. Não toma nada a sério. É uma Frufru.

RODRIGO — Uma Frufru pobre.

ÂNGELO — Que se supõe rica.

RODRIGO — Pois é preciso, é urgente desvanecer-lhe essa ilusão, embora o faças com todas as precauções e cautelas, como se lhe desses a notícia da morte de um parente.

ÂNGELO — Talvez me falte o ânimo.

RODRIGO — Se ela te ama, como creio, conformar-se-á com a sorte, e aceitará resignada a pobreza do casal; se te não ama, adeus! Que vá passear!

ÂNGELO — Oh!

RODRIGO — Para que precisas tu de uma mulher que te não ame?

ÂNGELO — Mas se essa mulher é a minha?

RODRIGO — Tua? Uma mulher que te não ama não pode ser tua!

ÂNGELO — E quando me não amasse? Amo-a eu, e não me sinto com forças para viver sem ela!

RODRIGO — Mas se também não te sentes com forças para aguentar o repuxo? Quem não pode com a carga, arria!

ÂNGELO — Ou deixa-se esmagar por ela! Que diabo! Vê que não se trata da minha amante, mas da minha esposa.

RODRIGO — E tu a dar-lhe! O que te aconselho apavora à primeira vista, mas é honesto e sensato. Enche-te de coragem, chega-te à tua mulher, e dize-lhe: — Menina, estamos sem vintém; os teus cinquenta contos e os meus cento e cinquenta evaporaram-se. Se queres viver modestamente de hoje em diante, isto é, sem carros nem cavalos, nem uma dúzia de chapéus por ano, continuarei a ser o teu esposo, e com muito prazer, porque te amo; se não queres, vai para a casa de teu pai e leva contigo as tuas joias, as tuas toaletes, os teus chapéus, e mais o teu dote, que te restituo intacto!

ÂNGELO — E depois?

RODRIGO *(Naturalmente.)* — Depois trataremos do divórcio.

ÂNGELO — Do divórcio!... Pois tu não achas que o divórcio é um escândalo?

RODRIGO — Acho, e foi por isso que nunca me quis casar. Não gosto de dar escândalos. *(Ouvem-se as gargalhadas de Henriqueta.)*

ÂNGELO — Ouves? É ela... é o seu riso! Vê que alegria vai entrar nesta casa!

CENA VII
ÂNGELO, RODRIGO, HENRIQUETA, LUDGERO, ISABEL

(Henriqueta é a primeira a entrar. Vem rindo às gargalhadas, e cai sentada numa cadeira.)

ÂNGELO — De que estás rindo? *(Ela ri tanto, que não pode responder. A Ludgero.)* Que viu ela?

LUDGERO — Sei lá! Foi ao sair do bonde que começou a rir.

HENRIQUETA *(A Ângelo)* — Imagina que aquele teu amigo que é juiz... aquele que foi delegado... que veio a um dos nossos jantares...

ÂNGELO — O Ponciano?

HENRIQUETA — Deve ser isso. Ele tem cara de Ponciano. *(Todos riem.)* Acompanhou-me hoje por toda parte... esperou por mim à porta do Palais-Royal... à porta do Esposende... entrou no Castelões logo atrás de mim... saiu quando eu saí... e agora, ao descer do bonde, dei com o pobre conquistador sentado no último banco, a lançar-me uns olhos de enxova morta. Não pude conter o riso! *(Rindo-se.)* Ah! Ah! Ah!! Que homem ridículo! *(De repente muito séria.)* Aí está por que não gosto de andar senão de carro!

ÂNGELO — Pois sim, mas enquanto o cocheiro estiver doente...

HENRIQUETA *(Rindo.)* — Espero que não desafies o Ponciano! *(Muito séria.)* Oh! Um duelo por minha causa! Nunca!

ÂNGELO — Henriqueta, deixa-me apresentar-te um amigo que deves ter muita satisfação em conhecer pessoalmente...

HENRIQUETA — Ah! O doutor Rodrigo! *(Estende-lhe a mão, que ele aperta.)*

RODRIGO — Conhece-me?

HENRIQUETA — Quando não tivéssemos o seu retrato, Ângelo tem me falado tanto, tanto do seu melhor amigo, e tantas vezes descrito a sua pessoa, que eu, vendo-o, reconhecê-lo-ia logo.

ÂNGELO — Chegou sem ser esperado, e a sua primeira visita foi nossa.

RODRIGO — Mesmo em trajo de bordo.

HENRIQUETA — Não imagina como é querido nesta casa!

RODRIGO — Vossa Excelência confunde-me. *(Beija-lhe a mão.)*

HENRIQUETA — Admito esse Vossa Excelência por ser a primeira vez que nos falamos, mas desde já o intimo a tratar-me com a mesma familiaridade com que trata meu marido. O senhor é da família. *(Rodrigo inclina-se.)*

ÂNGELO *(Apresentando.)* — Dona Isabel de Lima, minha sogra... O doutor Rodrigo Fontes...

RODRIGO — Minha senhora...

ISABEL — Folgo de o conhecer. *(Apertos de mão.)*

ÂNGELO — O doutor Ludgero de Lima, meu sogro. O doutor Rodrigo Fontes...

RODRIGO e LUDGERO — Doutor... *(Apertos de mão.)*

LUDGERO — Meu genro já me havia falado muitas vezes do doutor... Acaba de chegar da velha Europa, creio?

RODRIGO — Sim, senhor, hoje mesmo.

LUDGERO — Então ainda não apreciou os embelezamentos da cidade?

RODRIGO — Apenas de relance... Já estavam muito adiantados quando parti, há dois anos.

LUDGERO — Tem sido uma transformação — como direi? — radical!

HENRIQUETA *(A Ângelo.)* — Sabes quem vi na Avenida? Chiquinha Gomes... É a quarta ou quinta fez que a vejo com aquele vestido cinzento!

ISABEL — Que tem isso, minha filha? Olha, este já o tenho posto mais vezes.

HENRIQUETA — Pois sim, mas tu não és uma pretensiosa como a Chiquinha Gomes, que se intitula a árbitra das elegâncias femininas! *(Rindo-se.)* Ah! Ah! Ah! Sabes como a Adelaidinha lhe chama? Dona Petrônia! *(Todos riem.)* Pobre senhora! Não se enxerga! Uma elegante que passeia na avenida Beira-mar sem chapéu, sob pretexto de que mora perto! — A propósito de chapéus —, trouxeram? — Ah! Cá esta ele! *(A Ângelo.)* Gostaste?...

ÂNGELO — Paguei. *(Todos riem.)*

HENRIQUETA — Não gostaste?

ÂNGELO — Não vi.

HENRIQUETA — Com efeito! Que falta de curiosidade! *(Vai abrir a caixa, tira o chapéu e mostra-o a Ângelo durante o diálogo que se segue.)*

LUDGERO *(A Rodrigo)* — Vai abrir consultório, doutor?

RODRIGO — Não, senhor; eu não clinico.

LUDGERO — Mas se não me engano, meu genro disse-me que o doutor tinha ido estudar medicina.

RODRIGO — Efetivamente, mas para o meu uso particular.

LUDGERO — Por que não clinica?

RODRIGO — Porque tenho medo. A responsabilidade do médico é tamanha, que me assusta. Não me considero suficientemente habilitado para curar os enfermos.

LUDGERO — Essa modéstia é — como direi? — excessiva.

RODRIGO — São escrúpulos.

LUDGERO — Se os seus colegas pensassem todos assim, poucos médicos haveria.

RODRIGO — E pouquíssimos doentes.

LUDGERO — Pois também eu não advogo, não porque não tenha confiança nas minhas luzes, mas porque felizmente me encontro numa situação — como direi? — independente. Sou proprietário agrícola. *(Rodrigo inclina-se.)*

HENRIQUETA *(A Rodrigo.)* — Dá-me a sua opinião sobre este chapéu?

RODRIGO — Peço-lhe que me dispense, minha senhora, porque nada entendo de modas. Entretanto, direi que o conjunto é agradável... as cores combinam-se bem... esta pluma é graciosa e está colocada com certo sentimento estético.

LUDGERO — Bravo! Falou como um artista.

RODRIGO — Em chapéus.

ISABEL — Foi por causa dessa pluma que ele custou tão caro.

LUDGERO — Cento e cinquenta mil réis.

ISABEL — E o homem pediu duzentos. Se não fosse eu, Henriqueta comprava-o por esse preço.

HENRIQUETA — Mesmo assim, não seria caro.

LUDGERO — Talvez não seja essa a opinião de meu genro, que pagou.*(A Rodrigo, em tom meio confidencial.)* É verdade que a pequena trouxe alguma coisa para — como direi? — para os seus alfinetes...

RODRIGO — Mas, a julgar pelo preço deste chapéu, atualmente os alfinetes estão pela hora da morte.

ISABEL — Tudo encareceu no Rio de Janeiro!

LUDGERO — Tudo! O pobre luta com dificuldades — como direi? —insuperáveis para viver! Felizmente não me posso queixar da sorte... gasto muito, muitíssimo, mas vivo a meu gosto.

HENRIQUETA — É o essencial. Quando a gente não vive a seu gosto, o melhor é morrer. *(Ângelo troca um olhar de inteligência com Rodrigo.)*

RODRIGO — A mortandade será horrível, porque raros indivíduos vivem a seu gosto.

ISABEL — O doutor é solteiro?

RODRIGO — Sim, minha senhora.

ISABEL — E não pensa em casar-se?

RODRIGO — Eu poderia responder a Vossa Excelência como Fontenelle, quando lhe fizeram a mesma pergunta; mas confesso que nunca pensei no casamento. A vida conjugal assusta-me também, tal qual a Medicina.

LUDGERO — Mas na comunhão social, o matrimônio é um dever — como direi? — imprescritível; é o complemento do homem.

RODRIGO — Pois eu decididamente não me completo.

ISABEL — Ludgero, não se esqueça de que vamos à casa do conselheiro, e é longe.

LUDGERO — Tens razão, minha mulher. Vamos!

ÂNGELO — Então não jantam conosco?

HENRIQUETA — Foram convidados para um jantar de aniversário...

ÂNGELO — Natalício?

LUDGERO — Não; casamentício. Vamos, minha mulher!

ISABEL — Vamos!

LUDGERO *(A Rodrigo.)* — Doutor, tenho muita honra em conhecê-lo, e lá estamos às suas ordens na pensão Schumann. Depois que casei a filha, desmanchei o palacete.

RODRIGO — Santa Teresa, rua Petrópolis, número 50.

LUDGERO — Todas as vezes que nos der a honra de sua visita, será recebido — como direi? — com especial agrado.

RODRIGO — Agradecido.

ISABEL — Doutor...

LUDGERO — Até sempre. *(Apertos de mão.)*

HENRIQUETA — Vou acompanhá-los até o jardim. *(Saem Ludgero e Isabel, acompanhados por Henriqueta.)*

CENA VIII
ÂNGELO, RODRIGO

RODRIGO — Tua sogra parece-me uma excelente senhora; mas teu sogro é um idiota.

ÂNGELO — Não te dizia?

RODRIGO — Parece até que a sogra é ele e não ela. — Como é que um homem assim consegue formar-se em Direito?

ÂNGELO — Que diabo! Há-os ainda piores!

RODRIGO — Não! Olha que aquele casamentício...

ÂNGELO — O que deve dizer é como um homem assim pode ser pai de Henriqueta!

RODRIGO — Tua mulher é realmente lindíssima, encantadora... mas não te ofendas se te disser que a achei frívola.

ÂNGELO — Sou o primeiro a reconhecer que ela...

RODRIGO — Achei de muito mau gosto aquela história do Ponciano...

ÂNGELO — Também eu: mas... não te disse que ela não tomava nada a sério?

RODRIGO — Com a cabecinha que tem, talvez te seja difícil convencê-la de que é preciso modificar profundamente o seu modo de viver. Mas ora a Deus! Tens sido muitas vezes eloquente na tribuna; trata de sê-lo agora em família. Tens alcançado grandes triunfos na defesa dos outros; pois defende-te agora a ti mesmo e à tua mulher!

ÂNGELO — Como seríamos felizes se eu fosse rico!

RODRIGO — Não é dinheiro que vos falta.

ÂNGELO — Já sei, é juízo.

RODRIGO — Também não é juízo. O que vos falta é um filho. Não que eu pense do casamento sem filhos o mesmo que Tolstoi, um sábio que abusa singularmente do direito de dizer coisas que nele são paradoxos, e noutro qualquer seriam disparates. Um filho seria para tua mulher um excelente derivativo, e a ele, senão a ti, faria ela todas as concessões imagináveis. Entretanto, fala-lhe francamente, e quanto antes melhor. O anel de três contos que ela traz no dedo é um ótimo pretexto para uma explicação urgente, que não deves adiar.

CENA IX
OS MESMOS, HENRIQUETA

HENRIQUETA — Lá foram eles.

RODRIGO *(Que foi tomar o chapéu e a bengala.)* — Minha senhora...

HENRIQUETA — Já? Pois não janta?

RODRIGO — Hoje não. Tenho que ir a casa, desarrumar as malas, dar algumas ordens, etc. Quem chega de uma longa viagem está morto por se apanhar no seu *ubi.*

HENRIQUETA — Tem razão, mas espero que considere esta casa como sua.

RODRIGO — Muito obrigado. *(Aperta-lhe a mão, e vai apertar a de Ângelo.)* Até amanhã.

ÂNGELO — Até amanhã. *(Passa-lhe um braço em volta do pescoço e sai com ele.)*

CENA X
HENRIQUETA, *depois* ÂNGELO

(Pequena cena muda. Henriqueta vai examinar mais uma vez o chapéu, que ficou sobre a secretária. Depois guarda-o na caixa.)

ÂNGELO — Isto é que é amizade! Rodrigo desembarcou e, antes de ir à casa, veio visitar-nos!

HENRIQUETA — É muito simpático.

ÂNGELO — É um coração de ouro.

HENRIQUETA — Mas não simpatizou comigo.

ÂNGELO — Por que o dizes?

HENRIQUETA — Não sei; pareceu-me que não me olhava com bons olhos. Fiz-lhe talvez má impressão.

ÂNGELO — Prevenção tua. *(Senta-se.)*

HENRIQUETA — Foi talvez a história do Ponciano.

ÂNGELO — Mas também que lembrança a tua! Bem podias guardar aquilo para quando estivéssemos sós.

HENRIQUETA — Eu não o tinha visto. *(Indo sentar-se ao lado de Ângelo.)* Ele é muito simpático, mas tu... *(Dando-lhe um beijo.)* Tu és muito mais simpático.

ÂNGELO — Ora graças que me deste um beijo!

HENRIQUETA — Toma outro pela demora.

ÂNGELO *(Tomando-lhe as mãos.)* — É este o anel que compraste por três contos?

HENRIQUETA — Ah! Sim, esqueci-me de te mostrar! Vê como é lindo!

ÂNGELO — Mas não achas que isto é caro por três contos?

HENRIQUETA — Caro?... É o preço! Bem sabes que o Esposende é um negociante sério.

ÂNGELO — Não digo o contrário, mas há brilhantes que fazem mais vista e são mais baratos.

HENRIQUETA — Cala-te! Não entendes disto!

ÂNGELO — E tu? Entendes?

HENRIQUETA — Mais do que tu.

ÂNGELO — Que necessidade tinhas de comprar este anel?

HENRIQUETA — Que necessidade tinha de o não comprar?

ÂNGELO — Já possuis tantas joias...

HENRIQUETA — As joias nunca são demais: são como as estrelas no céu.

ÂNGELO — Henriqueta, amo-te muito, muito, e não quisera dizer-te nada que te pudesse afligir...

HENRIQUETA — É sermão? Deixa-me primeiro mudar de toalete, que são quase horas de jantar.

ÂNGELO — Vem cá... o meu dever é prevenir-te de uma coisa.

HENRIQUETA — Que coisa?

ÂNGELO — Tu nos supões mais ricos do que na realidade somos.

HENRIQUETA — Estamos então na miséria?

ÂNGELO — Não, não estamos na miséria, mas lá chegaremos se não encurtarmos as nossas despesas. Quem só possui o que nós possuímos, não tem o direito de comprar anéis de três contos.

HENRIQUETA — Ah! Ah! Ah! Só esta me faria rir! Que grande coisa um brilhante de três contos! Há-os de trinta, quarenta e cinquenta contos!

ÂNGELO — De muito mais! O Grão-Mogol, que pertence à coroa da Inglaterra, foi avaliado não sei em quantos milhões de libras esterlinas!

HENRIQUETA — Pois bem... não tens do que te zangar... Paga este anel com o dinheiro do meu dote.

ÂNGELO — Já cá tardava o teu dote.

HENRIQUETA — És tu que me obrigas a falar nele!

ÂNGELO — O teu grande dote!

HENRIQUETA — Vamos e venhamos. Não é pataca e meia: são cinquenta contos de réis!

ÂNGELO — E sabes quanto temos gasto desde que nos casamos?

HENRIQUETA — Espero que não vás agora exigir que me ocupe dessas coisas.

ÂNGELO — Mas é bom que te ocupes. A gente deve saber quanto possui e de quanto pode dispor... Nós fazemos despesas supérfluas, que devemos cortar.

HENRIQUETA — Quais são elas?

ÂNGELO — Que necessidade temos de carros e cavalos que nos custam os olhos da cara?

HENRIQUETA — Que?... Tu queres desfazer-te do nosso cupê e da nossa caleça? Ah! Ah! Ah! Deixa-me rir! Que diabo tens tu hoje? Foi com a chegada do teu amigo? Não! Por amor de Deus, não me digas, nem brincando, que devemos suprimir os carros! Seria muito ridículo! Que bonita figura nós faríamos! *(Abraça-se ao marido chorando.)*

ÂNGELO — Não chores, que não te quero ver chorar!

HENRIQUETA — Então para que provocas as minha lágrimas?

ÂNGELO — Acabou-se, passou; dá cá um beijo.

HENRIQUETA — Não dou!

ÂNGELO — Dá!

HENRIQUETA — Não dou!

ÂNGELO — Pois não dês; tomo-o à força. *(Beija-a.)*

HENRIQUETA — Mau! Mal sabes tu que há muitos dias eu me estava preparando para pedir-te um automóvel!

ÂNGELO — Um automóvel? Estás doida! Onde iríamos nós buscar dinheiro para um automóvel?

HENRIQUETA — No meu dote!

ÂNGELO — Tu sabes quanto custa um automóvel?

HENRIQUETA — O de Chiquinha Comes custou só quinze contos!

ÂNGELO — E o chofer, os consertos, a gasolina?...

HENRIQUETA — Ora a gasolina!

ÂNGELO — Ouve, Henriqueta. No Rio de Janeiro, que precisa ainda de muitas avenidas para que nele se possa viver à vontade, como nos grandes centros civilizados, há muita gente que sabe da vida alheia mais do que lhe vai por casa. Tu não sabes quanto possuímos, e muitos estranhos o sabem, como se houvessem revistado as nossas gavetas; e as senhoras que gastam mais do que deveriam gastar, são, pelo menos, suspeitadas. Ainda agora disseste que o Ponciano te acompanhou hoje por toda parte, como se foras uma mulher fácil. O Ponciano é um bobo, mas não creias que procedesse com tanta impertinência se alguma coisa não lhe rosnasse a teu respeito.

HENRIQUETA — Que poderão dizer de mim? Sou uma senhora irrepreensível. Gosto de rir, de brincar, mas...

ÂNGELO — Não é o teu riso, nem são os teus brincos que me inquietam: isso é a tua mocidade rebentando em flor. Eu só protesto contra os teus hábitos de dissipação.

HENRIQUETA — Dissipação?

ÂNGELO — Sim! Tu gastas como se fosses casada com o rei do petróleo!

HENRIQUETA — Ah! Ah! Ah! Ainda agora a gasolina, agora o petróleo.

ÂNGELO — Peço-te que desta vez não te rias, porque estou falando muito seriamente.

HENRIQUETA — Com efeito! Nunca pensei que viesses perturbar a nossa ventura com uma questão de níqueis.

ÂNGELO — Não são níqueis: são contos de réis que atiras à rua!

HENRIQUETA — Quando desaparecer o último vintém do meu dote, avisa-me. Podes ficar certo de que, esgotados os meus cinquenta contos, não gastarei mais nem um real: só comprarei vestidos de chita e brilhantes montana.

ÂNGELO — Vejo que não há meio de te falar seriamente.

HENRIQUETA — Se eu quisesse tomar a sério tudo quanto me tens dito, não sei o que seria de nós. Não é a primeira vez que me ralhas por causa das minhas despesas, mas hoje me tens dito coisas que nunca ouvi dos teus lábios. Ora as minhas despesas! As minhas despesas são, no final das contas, as mesmas que fazem todas as senhoras na minha situação.

ÂNGELO — Mas, vem cá, meu amor: tu sabes qual é a tua situação?

HENRIQUETA *(Chorando.)* — Sei! É a situação de uma pobre mulher que foi amada e já o não é. Pelos modos, o teu amor é a moeda que mais se gasta nesta casa... e a moeda com que tenho pago as minhas loucuras!... Confessa que o teu coração está mais vazio que o teu cofre!

ÂNGELO — Cala-te, Henriqueta, cala-te! Não sabes o que estás dizendo! Amo-te muito, muito, e o meu amor é o mais puro, o mais nobre, o mais desinteressado, o mais cavalheiresco! Eu quisera possuir milhões e bilhões para arrojá-los a teus pés e satisfazer assim a todos os caprichos da tua fantasia! Não! Não é com o meu amor que se pagam as tuas joias e o teu luxo; se essa fosse a paga, todas as joias do mundo seriam tuas; poderias ser a rainha universal da moda, porque a fonte não se estancaria jamais! Infelizmente, porém, o amor não paga senão o amor; as carruagens, os cavalos, as toaletes com que deslumbras quem passa, provocando admiração, inveja e maledicência, são pagos a dinheiro, e o dinheiro corre de uma fonte menos inexaurível que a do amor!

HENRIQUETA — Não me fales em dinheiro, Ângelo; não levantes uma nuvem negra no céu azul da nossa ventura! Já te disse, dispõe do meu dote. Não falemos mais nisso! Não percamos em discussões odiosas o tempo, que é pouco para nos amarmos... Em vez de me repreenderes, acaricia-me: em vez de conselhos, dá-me beijos; são tão bons os teus beijos! ... *(Depois de se beijarem.)* Não alteremos o nosso modo de viver... Temos sido assim tão felizes!... Promete, meu Ângelo, promete que nunca mais me falarás em dinheiro... Promete...

ÂNGELO — Prometo.

HENRIQUETA — Jura!

ÂNGELO — Juro.

HENRIQUETA — Também eu te amo tanto, tanto, tanto. Não tenho no mundo senão minha mãe, meu pai e tu...

Ângelo — Eu não tenho senão tu. (*Vendo entrar Pai João.)* Minto! Tenho também Pai João.

PAI JOÃO — O zantá z'tá na mesa.

HENRIQUETA — Bonito! O jantar está na mesa e eu não mudei de toalete...

[(Cai o pano.)]

ATO SEGUNDO

 *mesmo gabinete, três meses depois*

CENA I
ÂNGELO, RODRIGO

(Ângelo está sentado à secretária, pondo papéis em ordem. Rodrigo entra pelo fundo.)

RODRIGO — Recebi o teu recado. Aqui estou.

ÂNGELO *(Erguendo-se.)* — Ainda bem. *(Apertando-lhe a mão.)* Obrigado.

RODRIGO — Que há?

ÂNGELO — Fiz hoje o que há três meses, no dia em que chegaste da Europa, me aconselhaste que fizesse.

RODRIGO — Desembuchaste?

ÂNGELO — Desembuchei.

RODRIGO — Ora graças!

ÂNGELO — Disse a minha mulher toda a verdade, toda a medonha verdade. Logo que percebeu qual era o assunto da conversa, enfureceu-se. Sabes que eu havia prometido e até jurado nunca mais falar-lhe em dinheiro...

RODRIGO — Sim.

ÂNGELO — Não queria ouvir... tentava fugir-me... Foi preciso que eu a agarrasse pelo pulso e a obrigasse a ouvir tudo!

RODRIGO — Nessas condições talvez não ouvisse nada.

ÂNGELO — Ouviu com certeza. Pôs-se a chorar... um choro de raiva... um choro mau, que lhe não conhecia, e me fez descobrir nela, pela primeira vez, alguma coisa que destruía todo seu encanto feminil. E o seu olhar tomou uma expressão inédita... uma expressão que jamais suspeitei naqueles olhos... uma expressão em que julguei adivinhar, enfim, que a natureza não a fez para mim, nem me fez a mim para ela! Basta um olhar para prender e subjugar um homem... outro olhar é bastante para libertá-lo! *(Esfregando os olhos como se saísse de um sonho.)* Acabou-se!

RODRIGO — E depois desse olhar? Mais nada?

ÂNGELO — Nada mais. Henriqueta foi para o seu quarto e fechou-se por dentro, batendo violentamente a porta. *(Pausa, durante a qual os dois amigos passeiam sem dizer palavra.)* A minha situação é desesperadora! Isto não pode continuar!

RODRIGO — Naturalmente. O mesmo disse-te eu há três meses. Mas descansa... vejo as coisas bem encaminhadas.

ÂNGELO — Escrevi hoje a meu sogro.

RODRIGO — Em que sentido?

ÂNGELO — Convidando-o para uma conferência sobre negócios de família. Palpita-me que nada conseguirei de Henriqueta. Pode ser que seu pai consiga tudo.

RODRIGO — E eu? Para que me mandaste chamar?

ÂNGELO — Para te dizer isso mesmo e perguntar-te se aprovas o meu programa.

RODRIGO — Duvido muito que teu sogro lhe faça ouvir a voz da razão. É um fútil. Em todo caso, é de boa política recorrer ao pai antes de tomar uma resolução extrema. É mesmo por aí que deveríamos ter começado. Não me lembrei disso. Que queres? Eu sou pelos meios violentos, tu és pela conciliação. Bem se vê que és advogado, e eu médico.

ÂNGELO — Achas então que fiz bem chamando meu sogro?

RODRIGO — Fizeste muito bem. Se ele não se puser ao teu lado, se tomar as dores da filha, dize-lhe francamente que pode levá-la, e mais.

ÂNGELO — O dote irá depois.

RODRIGO — Não: já.

ÂNGELO — Onde irei eu buscá-lo de pronto?

RODRIGO — Na algibeira de teu irmão.

ÂNGELO (*Apertando-lhe a mão*) — Obrigado.

RODRIGO — Para que servem os irmãos? — Quando ficou de vir teu sogro?

ÂNGELO — Estou à sua espera. Creio que não poderá tardar.

RODRIGO — Nesse caso, retiro-me. Voltarei para saber o resultado da conferência. Até logo.

ÂNGELO — Até logo. (*Vai sentar-se à secretária e continua a pôr papéis em ordem.*)

RODRIGO (*Ao sair, encontrando-se com Pai João, que entra.*) — Salve, contemporâneo ilustre do primeiro reinado!

PAI JOÃO — Eh! Eh! siô doutló Lodligo z'stá senlple blincando (*Rodrigo sai.*)

CENA II
ÂNGELO, PAI JOÃO

ÂNGELO — Há alguma novidade, Pai João?

PAI JOÃO — Siô moço doutlô inda não pode paglá cocêlo, nem o copêlo, nem o jiadinêlo?

ÂNGELO — Por quê? Resmungaram?

PAI JOÃO — Lez'mungalo, si siô... Dize que se sió moço doutlô não paga hose, ele z'tudo vai se em bola.

ÂNGELO — Que esperem mais três dias! E, se não quiserem, rua! Canalha, que tem sido tão bem paga até hoje!

PAI JOÃO — Pai Zoão zá cingou ele z'iá dentlo... zá disse o diablo a esse z'sem vlegonha. Ola, se seu moço doutlô não tem dinêio, plo que não pede pletado a siô doutlô Lodligo?

ÂNGELO — Não! Não me animo! Tenho vergonha de confessar a Rodrigo a miséria a que me deixei arrastar... Mas tranquiliza-te, Pai João: estou para receber dinheiro... tenho clientes que me prometeram pagar por estes dias. Depois de amanhã receberei dois contos de réis.

PAI JOÃO — Ah! é vledade! Tá aí também aquele home...

ÂNGELO — Que homem?

PAI JOÃO — Aquele bonito, que veio s'outlo dia, que usa luneta ledonda num óio só, e meia plo cima de botina, que siô moço doutlô disse que ele ela aziota.

ÂNGELO — Já contava com essa visita. Que maçada! Manda-o entrar.

PAI JOÃO — Si, siô. (*Vai ao fundo e faz entrar Lisboa. Este é um bonito homem, vestido à moda e com extraordinária elegância. Monóculo. Polainas brancas.)*

CENA III
ÂNGELO, LISBOA

LISBOA — Senhor doutor, tenho a honra de cumprimentar a Vossa Senhoria.

ÂNGELO *(Secamente.)* — Adeus.

LISBOA *(Puxando uma cadeira.)* — Peço licença para...

ÂNGELO *(Retirando-lhe a cadeira.)* — É inútil sentar-se. Em poucas palavras o despacho. *(Falando sem olhar para ele, e com volubilidade, como para se ver livre quanto antes de tão desagradável visita.)* Ainda hoje não lhe posso pagar, e é muito provável que nem amanhã, nem por estes dias mais próximos. Nada receie pelo seu dinheiro. O juro com que me emprestou foi tão elevado, tão extraordinariamente, tão torpemente elevado, que uma pequena demora em nada o prejudicará. Tenho esta casa... estes móveis... posso dispor das joias de minha mulher... mas não quero hipotecar, nem vender coisa alguma: só lançarei mão do dinheiro que tenho a receber. Espero vencer uma grande causa no Supremo Tribunal. Compreende que eu tenha mais interesse em me ver livre de você, que você de mim. Não se me dava de pagar ainda mais juros para evitar a sua presença.

LISBOA — Era isso mesmo o que eu lhe vinha propor.

ÂNGELO — Isso mesmo o quê?

LISBOA — Aumentar o valor da dívida para não esperar de graça.

ÂNGELO — De graça! Pois ainda lhe parece pouco o que...

LISBOA *(Interrompendo-o.)* — Entendamo-nos, meu caro doutor. Vossa Senhoria pediu-me dez contos de réis e assinou um título de depósito de quinze... título com o qual, entre nós, posso metê-lo na cadeia em vinte quatro horas...

ÂNGELO — Se eu não lhe pagar em vinte e três e cinquenta e nove minutos, é exato. Veja você como este mundo é feito... Você, que é um ladrão, pode meter-me na cadeia, e eu, que sou um homem honrado, não posso fazer mais do que estou fazendo... posso apenas cuspir-lhe estes insultos na cara!

LISBOA — Se Vossa Senhoria me diz coisas tão feias antes de me pagar, que fará quando estivermos quites!

ÂNGELO — Quanto cinismo!

LISBOA — Meu caro doutor, quando um não quer, dois não brigam. Insulte-me à vontade... tem licença para fazê-lo... Quando abracei a infamante profissão de emprestar dinheiro a juros, muni-me de toda a coragem, resignação e paciência necessárias para ouvir tudo quanto me quisessem dizer. O dentista é muitas vezes insultado pelo freguês, quando lhe arranca um dente, e não reage. Também eu não reajo. Pagar juros dói, e o insulto é um desabafo instintivo. Um usurário do tempo antigo zangar-se-ia; mas eu, como vê, sou usurário *art-nouveau*. Não ando sujo nem mal trajado... não tenho a barba por fazer... não uso óculos escuros... não tomo rapé... visto-me no melhor alfaiate, uso os melhores perfumes, sou um elegante.

ÂNGELO *(Entredentes.)* — O que você é eu sei.

LISBOA — Vamos! Insulte! Insulte, mas pague. Há três dias que os quinze contos deviam estar no meu bolso: não estão ainda... Bem sei que não correm perigo... mas é justo que Vossa Senhoria reforme o título de depósito, dando-me novos interesses.

ÂNGELO — Pois não está satisfeito de me haver emprestado dez contos para receber quinze?

LISBOA — Parece-lhe exagerado o meu lucro? Permita dizer-lhe que isso é preconceito, meu caro doutor. E, se não, veja: Vossa Senhoria disse-me que está patrocinando uma causa quase vencida, e está, que o sei. Por ventura o dinheiro com que vai ser pago representa a justa remuneração, o valor intrínseco do seu trabalho? Não! Se lhe aparecesse o mesmíssimo trabalho e lhe rendesse apenas a terça parte do que esta lhe vai render, Vossa Senhoria não a mandaria a nenhum colega pobre.

ÂNGELO — Deixe-me! Preciso estar só.

LISBOA — Mais duas palavras: Vossa Senhoria tem uma doença grave, está em perigo de vida; manda chamar um médico; este vem, salva-o e cobra-lhe cinco... seis... dez contos de réis. Vossa Senhoria paga-lhos de cara alegre, porque entende — e entende muito bem — que a sua vida vale muito mais. Entretanto, o homem que cobra cinco contos para salvar-lhe a honra, mais preciosa que a vida, é um ladrão! Veja Vossa Senhoria como este mundo é feito! Creia-me, meu caro doutor, que todos nós rolamos neste velho planeta, com a mesma preocupação: fazer passar para as nossas algibeiras o dinheiro que está nas algibeiras dos outros. Ele tem muitos nomes... chama-se juros, honorários, bonificações, comissões, gratificações, etc., mas é sempre o mesmo dinheiro; são as mesmas notas que vão e vêm, fogem e voltam deste para aquele maço... desta para aquela mão... fiz como os outros. Vossa Senhoria precisou de dinheiro por estar enforcado. Procurou-me como procuraria um médico, se precisasse de saúde por estar doente. Aproveitei, como aproveitaria o médico. Note-se que não ofereci os meus serviços a Vossa Senhoria... foi Vossa Senhoria que me procurou, solicitando esse empréstimo. E peço licença para lembrar a Vossa Senhoria que nessa ocasião não fui insultado.

ÂNGELO — Mas, afinal, que deseja?

LISBOA — Já disse. Ou o pagamento imediato dos quinze contos, ou a renovação do título de depósito.

ÂNGELO — Mais cinco contos?

LISBOA — Não! Eu sou menos ladrão do que lhe pareço. Exijo apenas mais dois contos e quinhentos. *(Tirando um papel do bolso.)* Aqui está o novo título estampilhado. É só assiná-lo.

ÂNGELO *(Indo a secretária.)* — Repito: você é um ladrão...

LISBOA — Refinado!

ÂNGELO *(Tomando a pena.)* — Um salteador...

LISBOA — De estrada!

ÂNGELO *(Assinando.)* — Uma pústula...

LISBOA — Social!

ÂNGELO — Toma, bandido! Que é do outro título?

LISBOA — Cá está. *(Trocam os títulos. Ângelo examina o que recebe e rasga-o.)*

ÂNGELO — Agora, rua!

LISBOA — Meu caro doutor, sempre às ordens de Vossa Senhoria. *(Vai a sair. Entram Ludgero e Isabel. Lisboa cumprimenta-os com muita correção de maneiras e sai.)*

CENA IV
ÂNGELO, LUDGERO, ISABEL

LUDGERO *(Impressionado pela figura de Lisboa.)* — Quem é este senhor?

ÂNGELO — Um cliente.

LUDGERO — É um cavalheiro — como direi? — correto.

ÂNGELO — Corretíssimo.

LUDGERO *(Apertando a mão de Ângelo.)* — Tem passado bem?

ÂNGELO — Menos mal, obrigado.

ISABEL *(Depois de apertar a mão de Ângelo.)* — E Henriqueta?

ÂNGELO — Boa.

LUDGERO — Recebi o seu bilhete, e aqui estou, quero dizer: aqui estamos, porque, como se tratava de uma conferência sobre negócios de família, entendi que devia trazer comigo minha mulher. Fiz mal?

ÂNGELO — Fez muito bem.

ISABEL — Estou assustada. Há alguma novidade?

LUDGERO — Que novidade quer você que haja, minha mulher? Não há novidade alguma! Jesus! As mulheres são todas — como direi? —impressionáveis.

ÂNGELO — Engana-se, doutor: temos uma grande novidade.

LUDGERO — Ah!

ÂNGELO — E eu peço toda sua atenção — e a da senhora — para o que vou dizer. Sentemo-nos. *(Sentam-se.)*

LUDGERO — Este mistério!... Esta solenidade! ... *(Erguendo-se com veemência.)* Dar-se-á caso que minha filha, esquecendo o decoro que deve a si, à família e à sociedade, tenha faltado aos seus deveres — como direi? — conjugais?

ISABEL — Cale-se, Ludgero!... Isso é impossível!

ÂNGELO — Diz muito bem — Henriqueta é a mais pura das mulheres. *(Ludgero senta-se, tranquilizado.)*

ISABEL — Onde está ela?

ÂNGELO — No seu quarto.

ISABEL — Incomodada?

ÂNGELO — Não; amuada.

LUDGERO — Amuada?

ÂNGELO — Zangada, se quiser.

LUDGERO *(Rindo.)* — Ah! Já sei do se que trata. Ciúmes. A pequena desconfiou de alguma coisa... Ande lá! O senhor não é — como direi? — um santo... não caiu do céu por descuido...

ÂNGELO — Ora essa! Afirmo-lhe que sou o mais fiel dos maridos.

LUDGERO — Pois sim! No Rio de Janeiro só há um marido fiel.

ISABEL *(Sem ironia.)* — É você.

LUDGERO — Sou eu. *(Fazendo menção de levantar-se.)* Mas deixa estar, que arranjo tudo!

ÂNGELO *(Obrigando-o a sentar-se.)* Não! Não se trata de ciúmes. Trata-se de coisa muito mais séria.

LUDGERO — Ah!

ÂNGELO — Minha mulher está zangada por causa de uma explicação que tivemos, ou por outra, que não tivemos.

LUDGERO — Uma explicação?

ISABEL — A que respeito?

ÂNGELO — A respeito das nossas despesas.

LUDGERO — Já?

ÂNGELO — Pergunta se já? Pois todo o meu mal foi não ter tido essa explicação há mais tempo, e haver deixado para a última hora, tal qual como no Congresso, a discussão do orçamento. É verdade que sempre chamei a atenção de Henriqueta para as suas despesas excessivas e lhe pedi que as restringisse... Foi o mesmo que nada!

LUDGERO — O senhor fala-nos das despesas de Henriqueta, mas essas despesas não foram feitas pelo casal?... Não as realizaram marido e mulher — como direi? — de comum acordo?

ÂNGELO — Não, senhor; nesse particular nunca houve perfeito acordo entre Henriqueta e eu. Ela fez sempre grandes gastos sem que eu soubesse ou contra minha vontade.

ISABEL — Que conversa desagradável!

ÂNGELO — Muito desagradável.

LUDGERO — O dote de minha filha não está — como direi? — intacto?

ÂNGELO — Intacto? *(Levantando-se e indo à secretária buscar um maço de contas.)* Aqui estão as contas, devidamente pagas, com os respectivos recibos e as competentes estampilhas, de tudo quanto gastamos depois de casados. *(Dando-lhe um papel separado das contas.)* Esta é a relação dessas contas, com as parcelas somadas.

LUDGERO *(Lendo.)* — Cento e oitenta e quatro contos, novecentos e trinta e cinco mil e oitocentos réis! Cáspite! E uma soma — como direi? — avultada!

ÂNGELO — Não figuram aí, necessariamente, as despesas de cujos pagamentos não se tem recibo. Sua filha entrou para esta casa com cinquenta contos e eu com cento e cinquenta, além de tudo quanto de então para cá rendeu a minha banca de advogado. Pois querem saber? Não temos nem mais vintém senão dívidas! *(Ludgero e Isabel levantam-se como ímpelidos por uma mola. Ângelo frisa.)* Nem — mais — vintém! *(Pausa.)*

LUDGERO — E que deseja o senhor?... Que eu o auxilie?

ÂNGELO — Não, senhor! Não peço nem desejo absolutamente o auxílio de ninguém. Felizmente não estamos insolváveis; apenas suspendemos pagamentos. O nosso ativo é muito mais considerável que o nosso passivo. Temos esta casa livre e desembaraçada, e o que está cá dentro representa algum dinheiro. E quando nada tivéssemos, teríamos meu trabalho. Não sou, graças a Deus, um advogado sem causas.

LUDGERO — Se é uma alusão — como direi? — pessoal, declaro-lhe que, se não advogo, é porque não quero!

ÂNGELO — Não tive a menor intenção de ofendê-lo, mas o doutor que se ofendeu foi porque, com a triste revelação que lhe acabo de fazer, nasceu-lhe imediatamente no espírito certo sentimento de hostilidade contra mim.

ISABEL — Não há motivo para lhe querermos mal.

LUDGERO — Cale-se, minha mulher! O belo sexo não tem voz ativa neste capítulo! São questões — como direi? — transcendentais! — O senhor foi imprevidente.

ÂNGELO — Seria preciso ter estado aqui dentro e assistido às lutas que travei com Henriqueta, para reconhecer que não houve tal imprevidência de minha parte. Leve essas contas consigo... vou pô-las dentro do seu chapéu *(Faz o que diz.)*... examine-as, e encontrará nelas a minha justificação. Mas eu não o chamei para pedir-lhe conselhos, pelo menos para mim, nem para ouvir recriminações feitas a mim ou à sua filha. O que lá vai, lá vai, e o dinheiro que se gastou era meu e dela. Chamei-o para que tente, com a sua autoridade de pai, conseguir o que não alcancei com minha autoridade de marido, porque esse maldito dote sempre foi o estorvo, a resistência que encontraram todos os meus esforços. Hoje resolvi que a explicação fosse decisiva. Ela ouviu-me, enfureceu-se e fechou-se no quarto!

LUDGERO — Mas... que quer o senhor que eu diga à minha filha?

ISABEL — Ora, Ludgero! Dize-lhe simplesmente que ela é pobre, e precisa mudar de vida, isto é, viver como pobre e não como rica.

ÂNGELO — O mais é gastar palavras.

LUDGERO — Isto vai ser para a pobre pequena um sacrifício — como direi? — cruel!

ÂNGELO — Maior sacrifício é uma vida de expedientes, humilhações e vergonhas. — Aquele cavalheiro correto que saía daqui quando o senhor entrava, não era um cliente: era um agiota.

LUDGERO — Um agiota? Ninguém o dirá.

ÂNGELO — Um agiota *art-nouveau* a quem recorri para um pagamento inadiável de joias e farandulagens!

LUDGERO *(Como tomando subitamente uma resolução.)* — Minha mulher, vamos conversar com Henriqueta!

ÂNGELO — Isso! Conversem com ela, façam-na entrar no bom caminho. Mas o melhor é ela vir aqui. Lá dentro há criados bisbilhoteiros. Vou mandar chamá-la, e deixo-os aqui no gabinete à vontade. *(Sai.)*

CENA V
LUDGERO, ISABEL

(Ludgero passeia agitado e Isabel senta-se numa cadeira em atitude calma. Longa pausa.)

LUDGERO — Não nos faltava mais nada!

ISABEL — Isto não me surpreendeu. Eu sempre disse que, na minha opinião, Henriqueta gastava mais do que devia.

LUDGERO — Deixe-o falar, minha mulher! Gastava do seu! Examine as despesas pessoais de nossa filha, e verá que não chegam aos cinquenta contos do dote. Olhe que cinquenta contos é — como direi? — é dinheiro!

ISABEL — Não desejo contrariá-lo, mas não concordo. Cinquenta contos é dinheiro, é muito dinheiro, não há dúvida, nas mãos de um casal poupado, econômico, sem pretensões de grandezas; mas para quem quer deslumbrar o mundo com seu luxo, cinquenta contos é uma pitada de ouro. Nunca supus que aqueles durassem muito.

LUDGERO — Nosso genro não foi homem! Faltou-lhe um pouco de energia — como direi? — máscula!

ISABEL — Foi delicado. Se procedesse por outra forma, seria um bruto, um violento, um mau marido! Devemos reconhecer, infelizmente, que a maior culpa não cabe à nossa filha, senão a nós, e mais a você que a mim, pela educação que lhe demos...

LUDGERO — Eu já sabia que, no final das contas, deveria ser o culpado de tudo!

ISABEL — Pois se Henriqueta parece-se extraordinariamente com o pai! Você é outro arrota-grandezas! Quer que toda gente nos suponha ricos, e sabe Deus o que por cá vai. Se não fosse isso, os nossos velhos anos seriam muito mais tranquilos... muito mais felizes... *(Erguendo-se.)* Henriqueta aí vem.

LUDGERO — Vamos — como direi? — apurar as responsabilidades. *(Isabel vai ao encontro de Henriqueta, a quem abraça e beija.)*

CENA VI
LUDGERO, ISABEL, HENRIQUETA

ISABEL — Como tens os olhos vermelhos, minha filha!

LUDGERO — Estavas a chorar?

HENRIQUETA *(Escondendo o rosto no ombro da mãe.)* — Sou uma desgraçada!

ISABEL — Não digas isso! Desgraçado só é quem perdeu a graça de Deus!

LUDGERO — Mas tu estavas pronta para sair. Aonde ias?

HENRIQUETA — A tua casa.

LUDGERO — Vem cá, senta-te aqui, ao lado de teu pai e de tua mãe, e conversaremos. *(Sentam-se. Longa pausa.)* Então como foi isso?

HENRIQUETA — Isso o quê?

LUDGERO — O cobre... — como direi? — fogo viste linguiça?

HENRIQUETA — Que queres tu? Não nasci para ser rica; devo resignar-me à miséria.

ISABEL — A miséria, não, minha filha; não fale assim, que Deus pode castigar-te. Teu marido ganha muito dinheiro. É um advogado feliz.

HENRIQUETA — Ele é feliz; eu não o sou.

ISABEL — Porque não quiseste sê-lo, porque não te conformaste com a tua situação. O resultado não podia deixar de ser este.

HENRIQUETA — Não creio, não posso crer que os meus trapos e as minhas teteias custassem mais que a importância do meu dote.

LUDGERO — Não sei; só sei que vocês gastaram em ano e meio de casados mais de duzentos contos de réis. Estão — como direi? — arruinados.

HENRIQUETA — É impossível que gastássemos tanto dinheiro!

LUDGERO — As contas estão ali dentro do meu chapéu... vou examiná-las em casa.

HENRIQUETA — Admira-me que tu, com a tua idade, e sendo um homem formado, acredites em contas. *(Ângelo aparece à porta e ouve sem ser visto.)*

CENA VII
OS MESMOS, ÂNGELO

LUDGERO — Queres tu dizer que aquelas são — como direi? — fantásticas?

ISABEL — Que ideia!

HENRIQUETA — Não tenho provas que me autorizem a duvidar da probidade de meu marido, mas — francamente — não acredito que em tão pouco tempo gastássemos conosco, só conosco, duzentos contos!

LUDGERO — Duzentos... e mais alguns *poses!*

HENRIQUETA — Duzentos contos em quê, não me dirão? A despesa mais considerável que fizemos foi a compra e os preparos desta casa. O mais pouco foi. Não demos bailes, não fomos à Europa, e o luxo, isto que se chama luxo, o verdadeiro luxo, jamais o conheci. Duzentos contos! Qual é a família que no Rio de Janeiro gasta tanto dinheiro em tão pouco tempo?

ISABEL — Mas vem cá, minha filha, que necessidade tinha teu marido de forjar dívidas fantásticas? Ele não é nenhum negociante falido.

LUDGERO — Sim, o grande caso é que o dinheiro desapareceu, diz ele, e eu acredito.

HENRIQUETA — Também eu, mas o interesse de meu marido é atribuir a nossa ruína ao que ele chama as minhas loucuras, e ocultar as suas.

LUDGERO — As suas? Pois teu marido praticou loucuras?

HENRIQUETA — É uma coisa que está a entrar pelos olhos!

LUDGERO — Ele joga?

HENRIQUETA — Não é de jogo que se trata, mas de mulheres.

ISABEL — Tira daí o pensamento, minha filha! És injusta para com teu marido e para contigo mesma.

LUDGERO *(Abalado.)* — Deixe-a falar, minha mulher!

HENRIQUETA — Mamãe disse-me sempre que meus ciúmes eram infundados, mas eu bem percebia que Ângelo me enganava.

LUDGERO — Ele tinha uma amante?

HENRIQUETA — Uma ou mais de uma! Sei lá!...

LUDGERO — Mas quem é ela?

HENRIQUETA — Como queres tu que eu saiba? Ele nunca me disse! Mas há coisas que uma esposa, e principalmente uma esposa que ama, como eu o amava, adivinha sem precisar ver nem ouvir nada!

ISABEL — Isso é doença!

HENRIQUETA — Logo depois de casada, comecei a desconfiar das suas longas ausências... das horas e horas passadas à noite fora de casa, em misteriosos lugares, de onde voltava fatigado e sonolento. Para tudo arranjava desculpa. Era uma sessão no Instituto dos Advogados... era uma conferência com tal ministro... era uma visita ao juiz que estudava uns autos... era isto, era aquilo, mas o que era, sei eu! Esse homem abusou cruelmente da minha ingenuidade, e agora quer fazer de mim a única responsável pela situação em que nos achamos!

LUDGERO — Que diz você a isto, minha mulher?

ISABEL — Digo que nossa filha está doida. Se ele voltava para casa fatigado e sonolento, era por ter trabalhado muito. Ângelo é um trabalhador.

LUDGERO — Pois olhe, eu dou razão a Henriqueta. Ela expôs a situação com muito critério, e com uma lucidez — como direi? — esmagadora!

ISABEL — Cale-se, homem de Deus! O que você está fazendo é horrível! Não foi para isso que viemos a esta casa! Pois em vez de tirar estas fantasias mórbidas do cérebro de sua filha, você concorda em que julgue tão mal o marido? Raciocinemos um pouco. Ângelo gostava muito de Henriqueta. Sem isso não se teria casado. Não o fez certamente atraído pelo grande dote de cinquenta contos, pois não lhe faltavam noivas mais ricas, se ele as quisesse. Não foi o teu dote, minha filha, mas os teus dotes que o seduziram. Como se pode acreditar que um homem logo depois de casado nessas condições, comece a enganar a mulher? Isso não entra na cabeça de ninguém! E demais, se Ângelo foi tão econômico em solteiro, não é crível que só depois de casado desse em perdulário.

LUDGERO — Ora, minha mulher, você não conhece os homens.

ISABEL — Nem você as mulheres, que são mais enigmáticas.

LUDGERO — Já lhe disse que o meu desejo era apurar as responsabilidades. Que razão tem você para meter a mão no fogo pelo nosso genro? Pois saiba que em solteiro foi um terrível, um conquistador, e depois de casado... não sei, mas não se livra da fama de ter tido um —como direi? — um idílio com a Dobson, e os idílios com a Dobson não custam menos de trinta contos.

ISABEL — Isso é uma calúnia miserável! Se teu marido te enganasse, minha filha, não seria com a Dobson, uma desgraçada mãe de família que é de quem a queira e possa gastar algumas centenas de mil réis. Isso de trinta contos é uma história. A Dobson é muito mais módica.

LUDGERO — Pois se não foi a Dobson, foi outra, ou foram outras, mas não há dúvida que andaram nisto mulheres.

HENRIQUETA — Ainda bem que papai me dá razão. Ele sabe da vida mais que tu, mamãe, que és boa e julgas a todos por ti. Se eu já não estivesse convencida das infidelidades de Ângelo, bastariam as palavras de papai para me abrir os olhos.

ISABEL — Pois pode papai limpar a mão à parede: fê-la bonita!

HENRIQUETA — Mas não! Não era preciso outro aviso senão do meu próprio amor. Mulher nenhuma poderia ocupar em segredo o meu lugar no coração daquele homem.

LUDGERO — Querer arrancar do espírito de Henriqueta a convicção em que ela está, convicção que é também minha, é supô-la — como direi? — uma estúpida! *(Erguendo-se.)* Nossa filha está sob o peso de uma acusação tremenda, a de ter arruinado um homem como uma reles cocote! É preciso que se saiba que esse homem... *(Voltando naturalmente o rosto, vê Ângelo e fica embaraçado.)* Ah! Estava aí?... *(Isabel e Henriqueta levantam-se.)*

ÂNGELO — Ouvi tudo sem querer. Vejo que meu processo está feito e a minha sentença lavrada. Não lhe ponho embargos. Curvo a cabeça. Dom Juan desce aos infernos!

ISABEL — Desculpe-os, Ângelo!... Minha filha está fora de si... meu marido endoideceu!... O senhor está muito acima de tais insinuações!...

ÂNGELO — Peço à minha advogada que não continue a defender um réu confesso. Tudo quanto aqui se deu é a pura verdade. Tenho tido muitas amantes depois de casado... não a Dobson, que só conheço de vista, mas outras muitas, muitíssimas. Para pagar os beijos dessas mulheres, esbanjei o melhor do meu patrimônio, inventei despesas fantásticas. Sou um vicioso, e o vício é caro, muito caro, custa contos e contos de réis. O amor é baratinho, mas não bastava aos meus instintos de sátiro. Ainda agora o senhor dizia que é o único marido fiel do Rio de Janeiro, e eu sabia que meu sogro era, realmente, uma *avis rara,* o homem virtuoso e puro por excelência; quis imitá-lo, mas a minha educação, o meu caráter, o meu temperamento, os meus hábitos, a minha debilidade moral não permitiram que na mesma família figurassem dois fenômenos iguais. *(Pausa. Ninguém responde. Henriqueta parece uma estátua.)* Agora, só nos resta tratar do divórcio, *(Henriqueta estremece.)* e quanto antes, para que na sua família não permaneça por mais tempo um celerado da minha espécie.

ISABEL — Fala em divórcio! Meu Deus! Enlouqueceram todos!...

LUDGERO *(A Ângelo.)* — Em vez de prostrar-se, humilhado aos pés de sua esposa, pedindo-lhe perdão de a ter acusado de faltas cuja responsabilidade moral deveria ser — como direi? — recíproca, o senhor procura, com um pouco de ironia fácil, destruir o mau conceito em que poderá ser tido como cabeça do casal: mas nem minha filha nem eu nos deixamos levar por esse artifício, e, uma vez que o senhor falou em divórcio, fique sabendo que Henriqueta não quer outra coisa!

ISABEL — Ludgero, veja o que estás dizendo!...

ÂNGELO (*Aproximando-se de Henriqueta.*) — Isso é verdade?... Quer separar-se de mim? (*Henriqueta não tem um gesto.*) Responda!

HENRIQUETA (*Sem olhar para ele.*) — Assim é preciso.

ÂNGELO — Por quê?

HENRIQUETA (*Idem.*) — Porque estamos incompatibilizados um com o outro. Daqui por diante a nossa vida seria um inferno.

ÂNGELO — Diga antes que não lhe sorri a ideia de viver modestamente, e receia o motejo da sociedade que assistir satisfeita ao leilão das nossas carruagens e tripudiar sobre os destroços do nosso luxo ridículo! É ainda a sua vaidade que fala... O amor, esse desapareceu com o último níquel! (*Henriqueta estremece.*)

LUDGERO — O senhor insulta a minha filha!...

ÂNGELO — Sua filha... Sim, é bem sua filha, mas é minha mulher, e os meus direitos sobre ela são tão sagrados, que o senhor não poderia intervir neste conflito doméstico, se não fosse a minha indesculpável patetice de supor que, não o seu critério de homem, mas o seu amor de pai, poderia influir para uma conciliação que era todo o meu desejo.

HENRIQUETA — Não minta! Todo seu desejo era ver-se livre de mim!

ISABEL — Henriqueta, cala-te.

HENRIQUETA — Não! Não me calo! Não quero continuar a ser uma vítima resignada e tola!... Uma conciliação!... Tem graça!... Pois não é que ele supõe que ainda o amo... que ainda o posso amar?... (*Rindo-se.*) Ah! Ah! Ah! Como se fosse possível amá-lo depois do que ele me fez... e depois do que lhe acabo de ouvir! Não, não, mamãe! Eu já o não amo! ... Eu... odeio! (*Ri, mas o riso transforma-se em pranto e ela cai nos braços de Isabel, desfeita em lágrimas.*)

LUDGERO — Aqui tem sua obra!... O senhor é capaz de matá-la!... Oh! Mas, se assim for, saberei — como direi? — vingá-la!... Vamos, Henriqueta! Vem para casa de teu pai!... (*Rodrigo aparece à porta do fundo e ouve sem ser visto.*)

CENA VIII
OS MESMOS, RODRIGO

ÂNGELO — Isso!... Leve-a, leve-a consigo, e que eu nunca mais lhe ponha a vista em cima! Mandar-lhe-ei hoje mesmo as joias, as toaletes, e o dote, esse desgraçado dote, que foi a causa de toda a nossa desgraça!

LUDGERO *(Rindo.)* — Acredito que o senhor lhe mande as joias e as toaletes; mas o dote...

RODRIGO *(Aproximando-se de Ludgero e estendendo-lhe um maço de notas do Banco.)* — O dote pode o senhor levá-lo já. Cá está ele em cem notas de quinhentos mil réis cada uma. É bom conferir. *(Ludgero, atônito, recebe maquinalmente o maço de notas. A Ângelo.)* Eu já contava com isso... O dinheiro estava de prontidão.

LUDGERO *(Perplexo.)* — Mas...

RODRIGO — O senhor está perplexo; entretanto, não há nada mais — como direi? — mais natural. Seria desairoso para o meu amigo que dona Henriqueta saísse desta casa sem levar o seu dote.

LUDGERO — Quer um recibo?

RODRIGO *(Rindo.)* — Mandá-lo-á quando receber o resto.

ISABEL — Ludgero, não tem feito senão asneiras! Restitua esse dinheiro!

LUDGERO — Minha mulher, você não se meta onde não é chamada! Vamos embora!...

ISABEL — Não! Isto não pode ficar assim!

LUDGERO — Ande para a frente com sua filha! Vamos! *(Vai buscar o chapéu e põe as contas debaixo do braço. Henriqueta e Isabel encaminham-se para a porta. Ao sair, Henriqueta volta-se para Ângelo. O pai empurra-a para a porta. Ângelo dá um passo para ela; Rodrigo toma-o pelo braço, impedindo-o de prosseguir. Saem Ludgero, Isabel e Henriqueta.)*

CENA IX
RODRIGO, ÂNGELO

(Rodrigo vai até a porta verificar se naturalmente eles se foram. Ângelo cai abatido numa cadeira, escondendo o rosto nas mãos.)

RODRIGO *(Voltando, alegre.)* — Ora muito bem! Já se respira nesta casa!... Agora é tratar de liquidar tudo isto, pôr a vida em ordem e começar de novo!... *(Vendo Ângelo abatido.)* Então, que é isso? Coragem! Levanta-te! Vamos fazer um inventário das toaletes e das joias e mandar-lhes tudo! Amanhã mesmo trataremos do leilão. Tu irás morar comigo em Santa Teresa. Lá está ainda o teu quarto. *(Ângelo começa a chorar convulsivamente.)* Ângelo! Meu irmão! Que quer isto dizer?...

ÂNGELO — Isto quer dizer que a amo... que a amo mais do que nunca!

[(Cai o pano.)]

ATO TERCEIRO

(Terraço em casa de Rodrigo, em Santa Teresa, com uma balaustrada ao fundo, e o panorama da cidade. Porta à direita. Trepadeira à esquerda, cadeiras de jardim. É ao cair da tarde. Ainda é dia claro, mas durante o ato anoitece pouco a pouco, e a cidade ilumina-se.)

CENA I
ÂNGELO, PAI JOÃO

(Ao levantar o pano, Ângelo, estirado numa preguiceira ao fundo, junto da balaustrada. Pai João de pé junto dele, contempla-o com carinho.)

PAI JOÃO — Nôte z'tá flesca. Se siô moço doutló pudesse dlomi um bocadinho, ela bem bom.

ÂNGELO — Dormir... quem me dera!...

PAI JOÃO — Cando siô moço doutló ela cliança, Pai Zoão cantava, e siô moço doutlô dlomia logo.

ÂNGELO — Ainda te lembras das cantigas com que me adormecias?

PAI JOÃO — Non sabe... Naquele tempo Pai Zoão podia cantá... inda elça zente... depose ficou ton velo... ton velo... que non tem mase voze... Mas se sió moço doutlô tivesse filinho, Pai Zoão reclodava toda zi cantiga... pala adlomecê filinho de siô moço doutló...

ÂNGELO — Experimenta, Pai João... vê se te recordas... Faze de conta que ainda sou pequenino... Parece-me que, se cantasses, eu adormeceria, como outrora.

PAI JOÃO — Déssa vlê. *(Recordando-se.)* Um... um... um... Tá bom, Pai Zoão vai cantá cantiga de pleto-mina.

ÂNGELO — Canta.

PAI JOÃO *(cantando.)*

— Pleto-mina quando zeme
No zemido ninguém clê
Os palente vai dizendo
Que não tem do que zemê.

Pleto-mina quando çola
Ninguém sabe ploque é.
Os palente vai dizendo
Que cicote é que ele qué

Pleto-mina quando mole
E começa aplodecê,
Os palente vai dizendo
Que ulubú tem que comê.

CENA II
OS MESMOS, RODRIGO

RODRIGO *(Entrando.)* — Canta-se, Pai João?

PAI JOÃO *(Vivamente, impondo-lhe silêncio.)* — Psiu!... Tá dlumindo... Passou essa z'nôte turo em clalo... pegou no sono agolinha memo... Zá viu? Cantiga de cativêlo semple sleve p'laguma cósa. Péla aí. *(Sai.)*

RODRIGO — Pobre Ângelo! *(Pai João volta com uma colcha, com que cobre carinhosamente as pernas de Ângelo.)* Com que então, a sua música faz dormir, hein, Pai João? Não é um elogio para ela... É verdade que o mesmo acontece a muitas composições de autores célebres.

PAI JOÃO *(Descendo.)* — Siô moço doutló tá passonado pela siá Henlicleta... non pode vivlê sem ela!...

RODRIGO — Qual não pode! Isso passa!

PAI JOÃO — Non passa, non. Felida de mulé não sala.

RODRIGO — As únicas feridas que não saram são as da honra. Ele vivia num inferno... não digo que viva agora num céu aberto, mas está melhor assim.

PAI JOÃO — Vivia, mas agola non vive mase, que isto non é vida. E dêssa lá, sió doutló Lodligo, siá Henlicleta é munto boa... se non tem zuízo, culpa non é dela, mase de pai dela, que non z'educou ela delêto.

RODRIGO — Pois sim. Mas uma senhora sem juízo não pode fazer feliz um homem de bom-senso. O divórcio amigável foi requerido há trinta dias. Divórcio amigável... aí estão duas palavras que nunca esperei ver juntas. O pretor recebeu o requerimento, e deu às partes vinte dias para refletirem.

PAI JOÃO — Tenho pena que non se alanze turo sem sepalá pala semple duase cleatula que palecia memo fetinha pala se quelê bem.

RODRIGO — Deixe-se vossemecê de pieguices. O seu senhor moço doutor já não deve nada a ninguém... Com o produto da casa e dos móveis, vendidos particularmente a um ricaço providencial que os namorava, pagou os cinquenta contos que entreguei ao sogro, e mais trinta e tantos que devia. Ficou com as mãos a abanar, é verdade, mas tem a sua profissão, que é rendosa. Pode muito bem viver sem mulher que o mortifique. Sofre de insônias? Anda macambúzio? Não se alimenta? Tudo isso passa, Pai João. Vá vossemecê com o que lhe digo!

PAI JOÃO — Non passa, non, sió doutlô Lodligo há de vlê. *(Toque de campainha.)* Quem selá? *(Sai. Rodrigo aproxima-se de Ângelo e contempla-o. Pai João volta.)* É uma senhora cobleta com véu... Pleguntou plo siô moço doutlô... eu disse que ele tava dlomindo e eu non aclodava ele... então pleguntou plo... Olá! Ela tá aí! *(Entra Isabel, coberta com uma mantilha.)*

CENA III
ÂNGELO, *dormindo*, PAI JOÃO, RODRIGO, ISABEL

RODRIGO *(Indo ao encontro de Isabel, sem a reconhecer.)* — O doutor Ângelo está dormindo, minha senhora. Como tem passado noites e dias em claro, e aquele sono é um benefício, não convém despertá-lo, seja sob que pretexto for. Quem é a senhora?... Que deseja?... *(Isabel descobre-se.)* Oh! Vossa Excelência aqui!

ISABEL — Sim, sou eu.

RODRIGO (*Oferecendo-lhe uma cadeira em que ela se senta.*) — Mas como?...

ISABEL (*Adivinhando a pergunta e atalhando-a.*) — Estamos aqui perto, no hotel da Vista Alegre, minha filha, meu marido e eu. Soube hoje, por acaso, que meu genro... Ainda posso chamar-lhe meu genro?

RODRIGO — Sem dúvida.

ISABEL — Soube que ele estava aqui. Vim vê-lo. Preciso falar-lhe.

RODRIGO — A que respeito, minha senhora? Perdoe a minha indiscrição, mas... sabe que sou o maior amigo de Ângelo.

ISABEL — Se é o seu maior amigo, ajude-me a salvar minha filha.

RODRIGO — Como assim, minha senhora?

ISABEL — Arrependida de tudo quanto praticou, Henriqueta não pode suportar a separação que aceitou com tanta leviandade. Parece-me gravemente enferma. O médico aconselhou-nos que a trouxéssemos para Santa Teresa, onde estamos desde ontem. Mas não é de mudança de ares que ela precisa, senão do marido de quem se separou sem motivo.

RODRIGO — Sem motivo não, minha senhora. Desde que num casal os gênios não se liguem, as vontades não se combinem, as opiniões divirjam, a mulher veja e sinta as coisas de um modo, e o marido de outro, motivo há, e mais que suficiente, para uma separação.

ISABEL — Não me diga isso! Eu tenho vivido em paz com meu marido durante vinte e três anos, e jamais concordei com ele. O que fiz, para chegar a esse resultado, foi submeter-me, embora muitas vezes protestando a tudo quanto ele dizia e fazia. Ainda nesta questão, em que minha filha foi estupidamente sacrificada por seu próprio pai, ele açulava o escândalo, ao passo que eu daria a vida para evitá-lo.

RODRIGO — Daria a vida para evitá-lo, mas conformou-se, obedeceu, submeteu-se. É o mesmo que sucederia a dona Henriqueta, se voltasse para a companhia de Ângelo. Ou se submetia ou, de novo, se separava. Em ambos os casos é melhor que as coisas fiquem no pé em que se acham. Foi uma solução, e, depois de uma solução, nada mais há que fazer.

ISABEL — Que interesse tem o doutor em que esse casal esteja separado?

RODRIGO — O mesmo interesse que teria em vê-lo cada vez mais unido se fosse um casal feliz. É o interesse do amigo... do amigo íntimo.

ISABEL — Mas o amigo íntimo não é para isso que serve.

RODRIGO — Bem sei que muitas vezes só serve para ser o amante da mulher do outro; mas eu não pertenço, felizmente, a semelhante espécie de amigos íntimos. A amizade para mim é um fetichismo.

ISABEL — Dir-se-ia que o doutor tem ciúmes do seu amigo...

RODRIGO — Ciúmes? Quem sabe? Conheço-o desde pequeno. É um rapaz talentoso, bem preparado, de muito futuro, que eu não quisera ver perdido.

ISABEL — Perdido por quê?

RODRIGO — Pois imagina Vossa Excelência que um homem possa trabalhar e prosperar vivendo em luta aberta com seu orçamento, sacrificado a essa funesta mania de aparentar recursos que não existem, obrigado a pregar calotes, a viver do dinheiro alheio? Ângelo e Henriqueta só poderiam ser felizes se tivessem um bebê, mas foram tantos os bailes, as recepções, os espetáculos, etc... que pelos modos, não tiveram tempo de tratar disso.

ISABEL *(Enxugando os olhos.)* — Minha pobre filha!

RODRIGO — Mas que tem ela?... Qual é a sua enfermidade?...

ISABEL — Não sei. O médico não nos quer assustar, mas o meu coração de mãe adivinha que ela está muito doente. Tem constantes delíquios... perde os sentidos... delira, pronunciando sempre o nome do marido...

RODRIGO *(Como se falasse consigo.)* — Delíquios... Quem sabe?... Oh! Se assim fosse... *(Erguendo-se como quem toma uma resolução súbita.)* Vossa Excelência permite que eu vá examiná-la? Também eu sou médico, embora o não pareça.

ISABEL — Pois não.

RODRIGO — Então vamos.

ISABEL — E... e ele? *(Aponta para Ângelo.)*

RODRIGO — Deixemo-lo entregue àquele sono reparador.

ISABEL — Não é o senhor o médico que eu vinha buscar.

RODRIGO — O outro não atende a chamados neste momento. Mas diga-me: por que foi Vossa Excelência que veio a esta casa, e não seu marido, a quem competia melhor semelhante diligência?

ISABEL — Não me fale em meu marido! Está incapaz de tomar uma resolução! Já era um pobre de espírito... Depois daquele dia fatal, em que com tanta inconsciência recebeu os cinquenta contos das suas mãos, perdeu a cabeça!

RODRIGO — Não vale a pena pôr um anúncio... não se perdeu grande coisa.

ISABEL — O exame das contas demonstrou claramente que Ângelo não dissera senão a verdade... A maior parte do dinheiro foi empregado no que ele chamava os alfinetes da filha... E qual não foi a nossa surpresa e a nossa vergonha, encontrando entre aqueles documentos uma apólice de seguro de vida, feito por ele em favor de Henriqueta! Um seguro de cinquenta contos!

RODRIGO — Justamente a importância do dote...

ISABEL — Ainda agora, quando soubemos que Ângelo estava aqui, a dois passos do hotel, pedi a meu marido que viesse... Ele hesitou... e então eu, desesperada, pus esta mantilha e saí, convencida de que vinha buscar a vida de minha filha.

RODRIGO — Em vez de lhe levar o marido, Vossa Excelência leva-lhe um médico. No estado em que se acha, é talvez mais prático. Amanhã conversaremos. Por enquanto, é preciso saber ao certo o que ela tem. Vamos!

ISABEL *(Com um suspiro.)* — Vamos!

RODRIGO *(Ao Pai João.)* — Eu volto já. *(Saem Rodrigo e Isabel)*

CENA IV
ÂNGELO, PAI JOÃO

ÂNGELO *(Despertando.)* — Pai João, a tua cantiga fez-me dormir... como outrora.

PAI JOÃO — Mas se siô moço dou tló dlomiu pouco. Pai Zoão canta otla veze...

ÂNGELO — Não! Não é preciso! Vou para o meu quarto. *(Vai erguendo-se, e repara na colcha que lhe envolve as pernas.)* Quem me cobriu com esta colcha? Tu?

PAI JOÃO — Quem havela de sê?

ÂNGELO *(De pé.)* — Como és bom! Que santa velhice a tua! Que alma branca, tão alva como os teus cabelos, se esconde na negridão do teu corpo! Ficou em ti, sinto-o no coração, alguma coisa de minha mãe, que viste nascer e morrer. *(Outro tom.)* Não achas que estou poeta, Pai João?

PAI JOÃO — Asso, si, sió. Foi ploquê sió moço doutlô dlorniu... É tão bom dlomí!

ÂNGELO— Não; é porque a noite está belíssima... Como é bonita e como é grande a minha terra! *(Aproximando-se da balaustrada.)* Vê, Pai João! A cidade lá embaixo parece dormir tranquila entre estas montanhas... e, no entanto, quanta luta, quanta paixão, quanto sofrimento por baixo daqueles telhados mudos!

PAI JOÃO — Há de turo, siô moço doutlô... Unse çola, otlo z'li... Unse bliga, otlo z'quele bem... Há de turo.

ÂNGELO — Uns brigam, outros se querem bem... É verdade, Pai João... mas os que se querem bem acabarão brigando, e os que brigam, brigarão sempre.

PAI JOÃO — Semple non, siô moço doutló. Nosso Senhô tá lá no céu viziando, e quando ele quê, bliga turo acaba!

ÂNGELO — Tu és otimista.

PAI JOÃO — Pai Zoão é quê, sió moço doutló?

ÂNGELO — Otimista! Vês tudo pelo melhor. *(Descendo.)* Rodrigo está em casa?

PAI JOÃO — Non, siô; saiu.

ÂNGELO — Saiu? Admira! Nunca sai à noite.

PAI JOÃO — Saiu com... Pai Zoão non sabe se deve dizê.

ÂNGELO — Com quem?

PAI JOÃO — Com siá Dona Isabé.

ÂNGELO — Com minha sogra?

PAI JOÃO — Si, siô.

ÂNGELO — Sonhaste?

PAI JOÂO — Non sonou, non, siô moço doutô. Siá Dona Isabé z'teve aqui.

ÂNGELO — Aqui!

PAI JOÃO — Teve, si, siô... vinha falá com siô moço doutlô, mas siô doutlô Lodligo non quíse clodá siô moço doutló.

ÂNGELO — Que veio ela cá fazer?

PAI JOÃO — Non sê. Ele'zi falam bassinho pala siô moço doutlô non clodá... e Pai Zoão que z'tava ao pé de siô moço doutló non ouviu nada. Palecia que ela disse que siá Henlicleta z'tava doente, e anton siô moço doutlô foi vlê siá Henlicleta.

ÂNGELO — Doente? Ela está doente! Doente de quê?

PAO JOÃO — Pai Zoão non sabe, mase desconfia que é da mêma doença de siô doutlô.

ÂNGELO — Meu Deus! Como poderei saber!

PAI JOÃO — Non fica dflito; siô doutlô Lodligo quando saiu z'disse que vlotava zá.

ÂNGELO — Já? Mas como poderá voltar já, se ela mora tão longe? *(Caindo numa cadeira.)* Doente! doente!...

PAI JOÃO — Sossega, siô moço doutlô, sossega... Dêça siô doutlô Lodligo vlotá.

ÂNGELO — Doente!... E eu longe dela!... Separado dela!... *(Erguendo-se.)* Não! Decididamente não resisto!... É um suplício terrível!... É uma provação muito superior às minhas forças! Não posso viver sem ela!... É minha mulher, pertence-me... Rodrigo que vá para o diabo com suas ideias de independência e liberdade! Quero ser desgraçado... trabalhar noite e dia sem descanso para sustentar o seu luxo... endividar-me... pregar calotes... sofrer penhoras e vergonhas, mas quero viver com ela!... É preciso que Rodrigo, ao voltar, encontre aqui, formidável, impetuosa, esta revolta do meu amor! Não quero que ele continue a dominar-me! Não sou nenhuma criança! Ela doente, doente e não posso voar para o seu lado! *(Senta-se a soluçar.)*

PAI JOÃO — Sossega... sossega...

ÂNGELO — Cala-te, Pai João, tu não sabes o que é isto! Amaste muito, mas nunca amaste uma mulher que te arrancassem dos braços.

PAI JOÃO — Pai Zoão teve sua placela... e quise munto bem a ela. Siá Henlicleta tá aí, tá viva... a placela de Pai Zoão moleu... moleu na senzala... no blaço de Pai Zoão... Pai Zoão çolou munto... mase non pledeu zuízo... Sossega, síô moço doutlô, sossega!

ÂNGELO — Como queres tu que eu sossegue? Se ela tivesse morrido, como a tua parceira, eu consolar-me-ia, talvez, com mais facilidade do que sabendo-a viva e separada de mim, sem que para isso houvesse um motivo de honra! *(Chorando).* Oh! Henriqueta! Henriqueta!

CENA V
OS MESMOS, RODRIGO

RODRIGO — Ângelo! Ângelo!

ÂNGELO — Ah! És tu? Onde foste? Viste-a? Falaste-lhe? Como está ela? Dize-me, dize-me tudo!

RODRIGO — Venho trazer-te uma bela notícia: tua mulher vem aí!

ÂNGELO — Ah!

RODRIGO — Eu vim na frente para preparar-te. É o que estou fazendo! Pronto! Estás preparado! *(Ângelo, sem responder, sorri e abraça-o.)* Vais cair das nuvens: fui o primeiro a promover esta reconciliação. As coisas mudaram inteiramente de face...

ÂNGELO — Mas Henriqueta onde estava?

RODRIGO — Ali no Vista Alegre... com os pais... Dona Isabel veio cá, disse-me que ela estava doente... fui vê-la.

ÂNGELO — E então? O seu estado é grave?

RODRIGO — Grave, não: interessante.

ÂNGELO — Interess...?... (*Compreendendo.)* Deveras? Ela está?

RODRIGO — Está, sim! Não vês a minha alegria? Agora, que vocês vão ter um filho, conto que serão felizes!

PAI JOÃO — Um filo... Pai Zoão vai vlê nascê mase um!

ÂNGELO — Mas onde está ela? *(Dá um passo para sair.)*

RODRIGO *(Embargando-lhe a passagem.)* — Não é preciso. Os pais vêm trazê-la. Olha! Eles aí estão! *(Falando para dentro.)* Façam favor! Venham cá para o terraço. *(Entram Isabel e Ludgero, este ressabiado.)*

CENA VI
ÂNGELO, PAI JOÃO, RODRIGO, LUDGERO, ISABEL

LUDGERO — Meu genro, minha mulher e eu viemos — como direi? —restituir Henriqueta ao seu marido. Pedimos-lhe que a aceite. Fui muito injusto com o senhor, mas espero que me perdoe, lançando sobre o que se passou o véu do esquecimento. Aqui tem minha mão.

ÂNGELO — Aperto-a de bom grado.

ISABEL — Ângelo! (Estende-lhe a mão.)

ÂNGELO — Minha boa advogada! *(Beija-lhe a mão.)*

LUDGERO — As contas que o senhor me deu a examinar, são uma prova — como direi? — concludente da sua lealdade.

ÂNGELO — Espero que, de hoje em diante, meu sogro me tenha em melhor conta, e acredite que no Rio de Janeiro não é ele o único marido fiel à sua esposa.

LUDGERO — Somos nós dois. Duvido que haja mais algum.

ISABEL — Restituir-lhe-emos amanhã o dote de Henriqueta.

RODRIGO — Isso não! Ângelo só continuará a ser seu marido sob condição de ela não trazer o dote.

ÂNGELO — Naturalmente.

ISABEL — Mas nós não podemos consentir...

LUDGERO — Aí vem você, minha mulher! Ele não quer! Deixá-lo!

RODRIGO — O dote dá-lo-ei ao meu afilhadinho, daqui a cinco meses, no dia em que ele nascer.

PAI JOÃO — Pai Zoão vai reclodá todase sua z'cantiga!

ÂNGELO — Mas... Henriqueta? É Henriqueta que eu quero!

ISABEL — Agora podemos chamá-la.

RODRIGO — Não! Retiremo-nos todos... e mandemo-la cá para o terraço. Não perturbemos com a nossa presença a renovação de um noivado... Vejam!... O luar, o formoso luar de Santa Teresa parece que esperava a deixa! — Vamos! *(Saem Ludgero e Isabel.)* Vossemecê também, Pai João! *(Sai Pai João. Rodrigo sai por último. Ângelo fica ansioso, ao fundo, com os olhos fitos na porta. Henriqueta aparece no limiar da porta, envolvida num xale. Procura Ângelo com os olhos, e, vendo-o, corre para ele, e lança-se-lhe nos braços. Cai-lhe o xale, deixando ver o seu vestido branco. Ficam ambos muito tempo abraçados.)*

CENA VII
ÂNGELO e HENRIQUETA

ÂNGELO — Nunca mais, Henriqueta!... Sim?...

HENRIQUETA — Nunca mais!

ÂNGELO — Amemo-nos... e seremos felizes...

HENRIQUETA — Sim, vou ser feliz... muito feliz...

ÂNGELO — Mesmo pobre?

HENRIQUETA — Não! Rica... riquíssima... porque tenho o teu amor... e hei de ter o amor do nosso filho. *(Abraçam-se de novo, formando um grupo iluminado pelo luar.)*

A VOZ DE PAI JOÃO (Ao longe) — Pleto-mina quando zeme, etc...

[(Cai o pano. Lentamente.)]

COLEÇÃO GRANDES OBRAS
O DOTE
Artur Azevedo
VERMELHO MARINHO
Este livro foi impresso em tipologia
Gentium Book Basic, corpo 11/12.